folio cadet ▪ premières lectures

**Le Petit Nicolas
d'après l'œuvre de René Goscinny
et Jean-Jacques Sempé**

Une série animée adaptée pour la télévision
par Matthieu Delaporte, Alexandre de la
Patellière et Cédric Pilot / Création graphique
de Pascal Valdès / Réalisée par Arnaud Bouron.
D'après l'épisode « Leçon de choses », écrit par
Clélia Constantine.
Le Petit Nicolas, les personnages,
les aventures et les éléments caractéristiques
de l'univers du Petit Nicolas sont une création
de René Goscinny et Jean-Jacques Sempé.
Droits de dépôt et d'exploitation de marques
liées à l'univers du Petit Nicolas réservés
à **IMAV EDITIONS**. Le Petit Nicolas® est une
marque verbale et figurative enregistrée.

Adaptation : Emmanuelle Lepetit
Maquette : Clément Chassagnard
Le papier de cet ouvrage est composé
de fibres naturelles, renouvelables, recyclables
et fabriquées à partir de bois provenant
de forêts plantées et cultivées expressément
pour la fabrication de la pâte à papier.
Loi n° 49-956 du 16 juillet 1949 sur les
publications destinées à la jeunesse
ISBN : 978-2-07-065044-6
N° d'édition : 247422
Dépôt légal : novembre 2013
Imprimé en France par I.M.E.

PEFC
10-31-1093
Certifié PEFC
Ce produit est issu
de forêts gérées
durablement et de
sources contrôlées.
pefc-france.org

Le Petit Nicolas

La chasse au dinosaure

GALLIMARD JEUNESSE

Le Petit Nicolas
et ses copains

Maman Papa

Nicolas   Alceste   Clotaire   Eudes

La maîtresse Le Bouillon

Louisette Marie-Edwige Geoffroy Agnan

– Pour demain, je vais vous donner un devoir un peu original, annonce la maî-tresse. Chacun devra apporter à l'école un objet digne d'intérêt et le présenter à la classe.

– Chouette ! je vais pouvoir venir avec mon camion de pompiers, se réjouit Geoffroy.

– Et moi, mes gants de boxe ! renchérit Eudes.

– Bien entendu, reprend l'institutrice, il ne s'agit pas d'une exposition de jouets. Je veux que vous veniez avec un objet du passé, qui a une histoire.

À la récréation, les discussions vont bon train.

– Je prendrai la médaille que mon père a remportée au foot ! se vante Joachim.

– NUL! le coupe Rufus. Moi, c'est la médaille de mon grand-père que je vais montrer : celle qu'il a gagnée à la guerre !

– Peuh ! Vous me faites bien rigoler avec vos breloques, crâne Geoffroy. Moi, je viendrai avec un tableau qui a plus de cent ans. Mon père en a plein chez nous !

– T'es vraiment un gros menteur ! râle Nicolas, agacé.

– Et toi, tu es jaloux, parce que tu n'as rien de plus ancien à nous faire voir ! l'asticote Geoffroy.

Nicolas est piqué au vif.

– Bien sûr que j'ai quelque chose ! réplique-t-il. C'est même ce qu'il y a de plus vieux au monde.

– Ah ouais ? se moque Geoffroy. Et on peut savoir ce que c'est ?

– Bah... c'est pas compliqué, improvise Nicolas. Je viendrai avec... euh... un DINOSAURE !

Mais personne ne le croit. Tous les copains éclatent de rire !

Seul Agnan, plongé dans son livre un peu plus loin, semble intéressé...

Nicolas rentre chez lui. Il trouve son père assis dans le fauteuil du salon, le nez dans son journal.

– Papa ! Il faut que tu m'emmènes au musée ! Je vais leur demander de me prêter un dinosaure.

– Mais c'est impossible, Nicolas !

– Ah bon ? souffle le garçon. Comment je vais faire alors ? Je ne sais pas où en trouver !

– Demande à ta grand-mère, blague son papa. Vu son âge préhistorique, elle doit sûrement en connaître un !

Nicolas bondit vers le téléphone et compose le numéro de Mémé.

– Je plaisantais, Nicolas. Raccroche tout de suite ! ordonne son père en lui courant après.

Il s'empare de l'appareil et s'apprête à raccrocher, quand une voix chevrotante résonne à l'autre bout du fil :

– Allô-ô-ô !

– Ah !... Euh... Bonjour, Belle-maman ! est forcé de répondre le père de Nicolas.

– Demande-lui pour le dinosaure ! claironne son fils à côté de lui.

– Hi, hi, hi ! Non, non, Belle-maman, on ne parle pas de vous. Nicolas voulait juste savoir si vous en connaissiez un. Il a de ces idées, parfois !

– C'est TOI qui as eu l'idée ! proteste Nicolas à haute voix.

– CHUUUT ! panique son père.

Mais c'est trop tard : la grand-mère a tout entendu ! Tandis que son papa essaie de se justifier, Nicolas va faire un tour dans le quartier, à la recherche d'une autre piste.

En passant par le terrain vague, il tombe sur Agnan qui creuse un trou dans la terre, à mains nues.

– Tu as perdu quelque chose ? s'étonne Nicolas.

Il s'approche et découvre le livre qu'Agnan est en train de lire. L'ouvrage est couvert de dessins de stégosaures et de diplodocus.

– JE RÊVE ! s'exclame Nicolas. Tu cherches un dinosaure ?

– C'était MON idée à moi! tempête Nicolas, avant d'ajouter, narquois : En plus, si tu crois que c'est en gratouillant la terre que tu vas en trouver un...

– Eh bien, si! se défend Agnan. Pour dénicher un dinosaure, il faut faire des fouilles paléontologiques, je te signale!

– Des fouilles paléon-quoi?

– Pa-lé-on-to-lo-giques. Ça veut dire qu'il faut creuser, et c'est ce que je fais !

Vexé de passer pour un ignorant, Nicolas shoote dans une motte de terre. Mais son pied rencontre un objet très dur.

– AÏE ! piaille-t-il.

Agnan dégage l'objet et l'observe attentivement.

– On dirait un vase antique un peu ébréché…, murmure-t-il.

– Pfff ! pouffe Nicolas. Moi, je pense que c'est un pot tout bête qu'un papa a caché là pour ne pas dire à une maman qu'il l'avait cassé.

Agnan écarte le pot.

– Écoute, lui propose Nicolas. On n'a qu'à chercher des os de dinosaure ensemble. Tout ce qu'on trouvera sera à nous deux.

– Entendu ! accepte Agnan en lui serrant la main.

– Alors, allons prendre des outils chez moi. Ce sera plus facile pour continuer les fouilles.

Une fois chez Nicolas, les deux garçons ont bien du mal à déplacer les bêches de jardinage. Elles sont trop grandes et trop lourdes pour eux ! À la place, le père de Nicolas leur confie des jouets de plage.

De retour au terrain vague, les deux paléontologues en herbe se mettent au travail. Seulement, Nicolas est embêté.

– On a l'air malin avec nos pelles en plastique ! bougonne-t-il en jetant des regards inquiets vers la palissade.

Il n'a pas trop envie que ses copains le voient en train de faire joujou dans la terre avec Agnan.

Manque de chance! Louisette, Eudes et Geoffroy ne tardent pas à passer par là!

Nicolas se redresse d'un bond.

– Désolé, Agnan, il faut que j'aille chercher un truc ! lâche-t-il, avant d'aller se cacher derrière la cabane du terrain vague.

Louisette, Geoffroy et Eudes ne l'ont pas vu. En pénétrant sur le terrain, ils aperçoivent Agnan qui continue à creuser le sol.

– Alors, le chouchou, on s'amuse à faire des pâtés de sable ? rigole Eudes.

– Pas du tout ! dément Agnan. Je cherche un dinosaure, figure-toi !

– Et tu crois vraiment que tu vas en trouver ici ? glousse Geoffroy.

– Parfaitement ! Tu pourras demander à Nicolas quand il reviendra, affirme Agnan.

– Nicolas ? sursaute Louisette. Il creuse avec toi ?

Les trois amis se regardent, un sourire aux lèvres. Eudes s'empare alors de la pelle en plastique d'Agnan et se dirige vers la cabane, Louisette et Geoffroy sur ses talons.

Tous trois en font le tour et découvrent Nicolas, caché de l'autre côté.

– VU !

– C'est pas ce que vous croyez ! s'écrie le garçon.

Mais la petite pelle rouge qu'il tient entre les mains le trahit.

– Ha, ha, ha ! ricane Eudes. Avoue que tu fais joujou avec Agnan !

– Ça suffit ! se vexe Nicolas. Sinon, c'est mon poing qui va atterrir sur ton nez !

– Même pas cap ! le défie Eudes.

Armés de leurs pelles, les deux garçons se mettent en garde. Nicolas
attaque le premier.

– Tiens, prends ça !

Il fend l'air et donne un coup d'épée, ou
plutôt de pelle en plastique, sur Eudes.
Celui-ci se défend comme un mous-
quetaire. FLING ! FLANG ! FLONG ! Le
combat fait rage quand, soudain, Eudes
percute Agnan, qui s'est approché pour

assister au spectacle. Le chouchou trébuche en arrière et tombe sur une drôle de chose blanche, qui dépasse de l'herbe.

– WOUAH ! Venez voir ! dit-il en se relevant.

Nicolas accourt et saisit l'objet entre ses mains.

– UN OS DE DINOSAURE !

Le lendemain, les élèves présentent leurs antiquités à la classe.

Clotaire a apporté sa toute première punition.

– Elle est très ancienne et elle a une histoire, explique-t-il.

Alceste exhibe le dentier de son grand-père.

– Il mange des trucs terribles avec !

Geoffroy, lui, a finalement apporté une lampe à huile.

– Elle a plus de mille ans, assure-t-il.

Sauf qu'il a oublié de retirer l'étiquette du prix... La maîtresse comprend qu'il vient juste de l'acheter au bazar du quartier !

Vient enfin le tour de Nicolas et d'Agnan. Les deux garçons montent sur l'estrade et Nicolas tend son trophée en annonçant fièrement :

– Et voilà ! Un os de dinosaure !

Bizarrement, la maîtresse n'a pas l'air impressionnée. Au contraire, elle se fâche.

– Vous me prenez pour une idiote ? Vous pensiez que j'allais confondre un os de gigot avec celui d'un dinosaure ? Allez, au piquet, tous les deux !

Nicolas ouvre des yeux ronds. Quelle déception ! Chercher un reste de dinosaure et trouver juste... un bout de mouton !

Après l'école, les garçons retournent au terrain vague. Mais un barrage de police leur bloque l'entrée.

– Stop, les enfants ! Vous ne pouvez pas jouer ici aujourd'hui ! leur dit un policier.

– Pourquoi ? interroge Nicolas.

– Hier, un passant a découvert un vase gréco-romain sur ce site. Par conséquent, des archéologues ont entrepris des fouilles.

– QUOI ? s'étouffe Agnan, avant de fusiller Nicolas du regard : Et toi qui me disais que c'était un pot sans intérêt !

– Oh, ça va ! s'énerve Nicolas à son tour. De toute façon, je suis sûr que leur vase gréco-bidule, c'est un vieux saucier à gigot de mouton !

→ je lis tout seul

Pour les jeunes apprentis lecteurs
Niveau 2

n° 1 *La photo de classe*

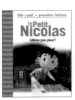

n° 2 *Même pas peur !*

n° 3 *Les filles, c'est drôlement compliqué !*

n° 4 *Papa m'offre un vélo*

n° 5 *Le scoop*

n° 6 *Prêt pour la bagarre*

n° 7 *La tombola*

n° 8 *La leçon de code*

n° 9 *Le chouchou a la poisse*

n° 10 *Panique au musée*

n° 11 *Qui veut jouer à la poupée ?*

n° 12 *La bande des pirates*

n° 13 *Un chaton trop mignon*

n° 14 *En route pour le pique-nique !*

n° 15 *La cantine, c'est chouette !*

n° 16 *On ne parle pas aux chouchous !*

n° 17 *Abracadabra !*

Retrouve le Petit Nicolas sur le site www.petitnicolas.com